LA TROMPETTE

ET LES CUIVRES

L'édition originale de cet ouvrage
a paru sous le titre:
Trumpet and Brass
Copyright © Aladdin Books Ltd 1993
28, Percy Street, London W1P 9FF
All rights reserved

Adaptation française de
Myriam De Visscher
Copyright © Éditions Gamma,
Paris-Tournai, 1994
D/1994/0195/50
ISBN 2-7130-1607-X
(édition originale:
ISBN 0-7496-0925-7)

Exclusivité au Canada:
Les Éditions École Active
2244, rue de Rouen
Montréal (Québec) H2K 1L5
Dépôts légaux: 1er trimestre 1994
Bibliothèque nationale du Québec
Bibliothèque nationale du Canada
ISBN 2-89069-469-0

Loi n° 49-956 du 16 juillet 1949
sur les publications destinées
à la jeunesse

Imprimé en Belgique

L'auteur, *Paul Archibald,* joue avec
le grand orchestre de Londres.
Il est professeur au *Guild Hall School
of Music,* au *London College of Music*
et à la *Royal Military School of Music,
Kneller Hall.*

Le conseiller, *Michael Short,* est
compositeur et professeur d'histoire
de la musique à la *Royal Military
School of Music, Kneller Hall.*

Sommaire

JEUNES SOLISTES

LA TROMPETTE
ET LES CUIVRES

Paul Archibald - Myriam De Visscher

Éditions Gamma - Éditions École Active

Introduction

Bienvenue dans le monde passionnant de la trompette! Tu découvriras en commençant à jouer que la trompette a un son unique, éblouissant et magnifique. Elle peut produire des notes très hautes ou très basses. Il te faudra de nombreuses heures d'entraînement pour jouer de main de maître, mais lorsque tu seras arrivé au terme de cet ouvrage, tu auras de solides bases de travail.

La trompette appartient à la famille des cuivres, comme le trombone, le tuba ou le cor français. C'est essentiellement un long tube métallique creux, s'évasant à une extrémité et se terminant par une embouchure à l'autre extrémité. Lorsque de l'air passe dans le tube, il vibre et produit un son.

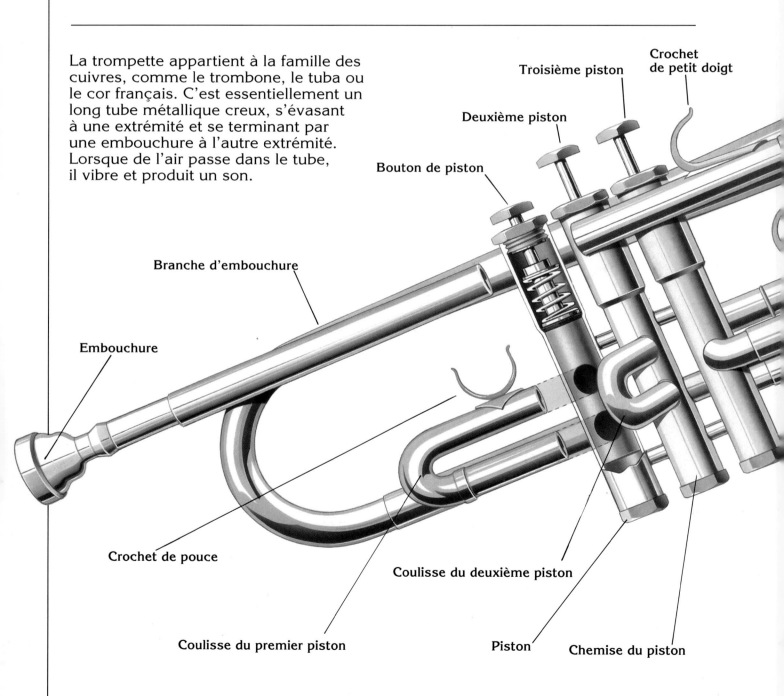

Troisième piston

Crochet de petit doigt

Deuxième piston

Bouton de piston

Branche d'embouchure

Embouchure

Crochet de pouce

Coulisse du premier piston

Coulisse du deuxième piston

Piston

Chemise du piston

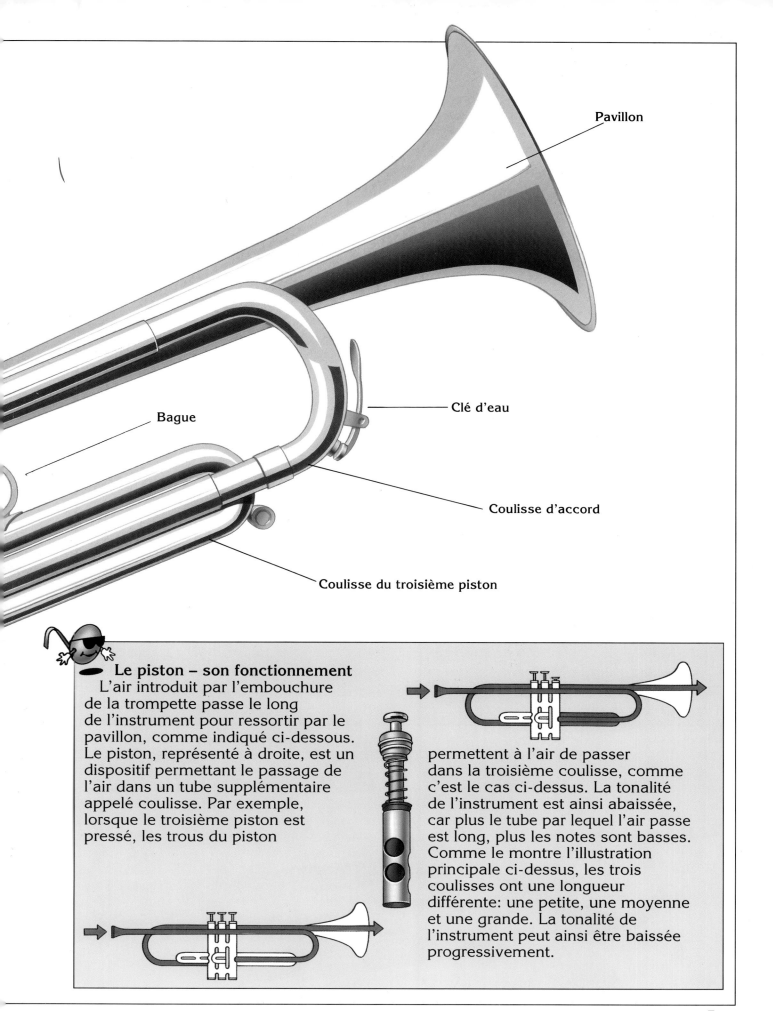

Pavillon

Bague

Clé d'eau

Coulisse d'accord

Coulisse du troisième piston

Le piston – son fonctionnement

L'air introduit par l'embouchure de la trompette passe le long de l'instrument pour ressortir par le pavillon, comme indiqué ci-dessous. Le piston, représenté à droite, est un dispositif permettant le passage de l'air dans un tube supplémentaire appelé coulisse. Par exemple, lorsque le troisième piston est pressé, les trous du piston permettent à l'air de passer dans la troisième coulisse, comme c'est le cas ci-dessus. La tonalité de l'instrument est ainsi abaissée, car plus le tube par lequel l'air passe est long, plus les notes sont basses. Comme le montre l'illustration principale ci-dessus, les trois coulisses ont une longueur différente: une petite, une moyenne et une grande. La tonalité de l'instrument peut ainsi être baissée progressivement.

Mets-toi à l'ouvrage

Ta trompette devrait avoir une embouchure détachable. Il est préférable de la conserver dans un étui robuste, car les instruments métalliques s'abîment très facilement. Une sourdine modifiera le son de ton instrument.

Comment tenir la trompette?
De la main gauche

Tu devrais tenir ta trompette de la main gauche par la chemise du piston. Ton pouce gauche devrait reposer sur la première chemise, ton quatrième doigt passant dans le crochet (s'il y en a un). Le poids de l'instrument devrait reposer sur ton index, sous le pavillon.

De la main droite

Place le petit doigt droit dans le crochet, comme sur la photo ci-dessous. Positionne les trois doigts centraux sur les pistons et place ton pouce sur la chemise du piston. Ta main droite ne devrait pas supporter le poids de l'instrument et devrait rester aussi souple que possible.

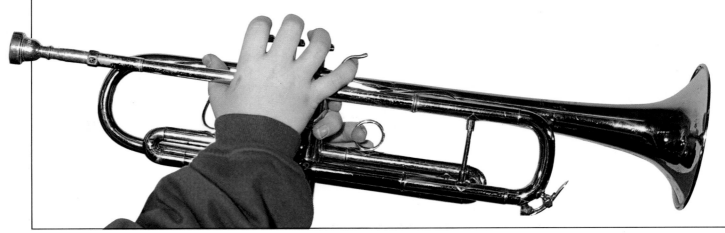

La position assise

Trouve une chaise qui te permette de poser les pieds au sol. Assieds-toi au centre de la chaise, maintiens ton corps aussi droit que possible. Essaie de ne pas te laisser tomber sur le dossier de la chaise. Relaxe-toi au maximum et veille à ce que le pavillon ne penche pas.

La position debout

Assure-toi que tes pieds reposent à plat au sol et soient légèrement écartés. Veille à ce que tout ton corps, y compris ta tête, soient aussi droit que possible. Imagine que le tube de la trompette est une extension de ton nez et essaie de maintenir le pavillon vers le haut!

Conseil:
Si tu trouves que la trompette est lourde et si tes épaules deviennent pesantes, fléchis l'instrument, puis relève et relâche tes épaules aussi rapidement que possible. Cet exercice les remettra d'aplomb.

L'entretien de la trompette

Il est essentiel que tu prennes bien soin de ta trompette. Après avoir joué, retire l'embouchure et remets l'instrument dans son étui. Lubrifie les pistons après quelques jours avec de l'huile spéciale pour trompette. Veille à ce que toutes les coulisses glissent aisément. Enduis-les de graisse ou d'un baume, si nécessaire. Au moins toutes les deux semaines, tu devrais rincer l'instrument avec un liquide nettoyant et de l'eau chaude. Si tu retires les pistons, mets-les dans l'ordre, afin de ne pas les mélanger. Sèche l'instrument avec un chiffon doux.

7

L'embouchure

La forme que tes lèvres adoptent lorsque tu joues de la trompette s'appelle également une «embouchure». L'embouchure étant à la base de ton jeu, il importe de bien l'effectuer dès le départ. En plaçant tes lèvres correctement, tu produiras un son, non pas en soufflant mais en «bourdonnant».

Le «bourdonnement»
Si tu prends deux brins d'herbe, que tu les places le long de tes deux pouces et que tu souffles entre les deux brins, tu devrais pouvoir produire un son fort et aigu. C'est le résultat de la vibration rapide des deux brins d'herbe. Le principe de la trompette est identique, mais tes lèvres remplacent les brins d'herbe!

Regarde cette photo, adapte tes lèvres à ce modèle et essaie de «bourdonner», comme une guêpe. Il te faudra peut-être du temps pour y arriver, mais ne baisse pas les bras. Le coin de tes lèvres devrait fléchir, comme sur la photo.

Lorsque tu te seras familiarisé avec le «bourdonnement», pose l'embouchure contre tes lèvres comme ci-dessous. Centre-la par rapport à ta bouche: une moitié sur la lèvre supérieure et l'autre sur la lèvre inférieure. Lorsque tu places l'embouchure sur tes lèvres, maintiens la position du «bourdonnement».

Ne positionne pas l'embouchure de l'un ou de l'autre côté de ta bouche, comme ci-dessous, mais bien au centre de ta bouche. Ne place pas l'embouchure trop en bas de ta lèvre supérieure – veille à ce que la moitié de l'embouchure repose sur la lèvre supérieure et l'autre moitié sur la lèvre inférieure. Ne gonfle jamais tes joues!

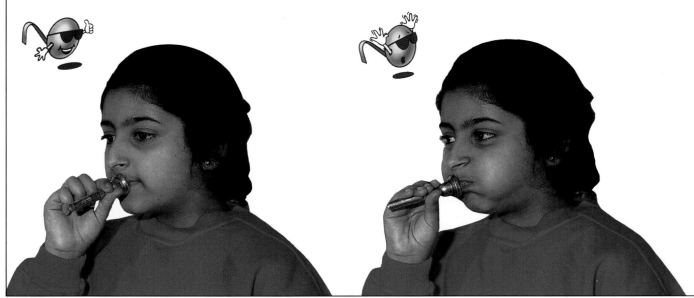

Les premières notes

Enfin, nous voilà prêts! Remets l'embouchure sur la trompette. Commence à «bourdonner», puis place l'embouchure au centre de ta bouche et un premier son devrait être audible. Ce sera probablement le do moyen. Ne t'inquiète pas si ça ne marche pas du premier coup, tu t'habitueras vite à la sensation de vibration de tes lèvres.

DO

Le do moyen est une note à vide car aucun des pistons n'est pressé. Dans la notation, le do ressemble à ceci.

RÉ

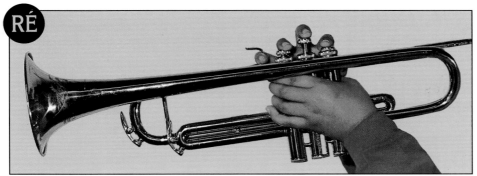

Enfonce le premier et le troisième piston et «bourdonne» pour jouer le ré. Le ré suit le do et se situe sur l'interligne suivant.

MI

Appuie sur le premier et le deuxième piston pour jouer le mi. Sa tonalité est supérieure au ré et il se situe sur la ligne au-dessus du ré.

Les trompettes et les cors remontent à l'époque pré-romaine. Les soldats les utilisaient lors de batailles, de cérémonies et de chasses. Les premières trompettes «naturelles» ne disposaient pas de pistons (à droite) et ne pouvaient jouer qu'un nombre limité de notes. Bach et Haendel composèrent une musique majestueuse pour trompette naturelle.

Les premières trompettes naturelles

9

La lecture de la notation

La notation peut sembler compliquée, pourtant elle est très facile. Les notes sont représentées par des gros pois noirs et blancs alignés sur cinq lignes formant une portée. La portée est divisée en unités de temps, en «barres». La clé de sol en début de partition indique la tonalité de la portée. La position des notes sur la portée te renseigne sur leur hauteur.

La notation

Les notes musicales vont du do au si. Ensuite, elles recommencent au do. En partant du bas de la portée, le nom des notes sur les lignes de la clé de sol sont le mi, le sol, le si, le

ré et le fa (tâche de les retenir). Les notes sur les interlignes de la clé de sol sont le fa, le la, le do et le mi. La clé de sol est ce signe spiralé apparaissant en début de partition.

Voici deux nouvelles notes à apprendre. La tonalité de la note fa est un ton au-dessus du mi. Bourdonne et enfonce le premier piston.

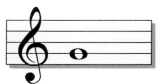

Le sol est une note à vide, tout comme le do, sans enfoncement d'un piston. Le sol est plus haut que le do. Entends-tu la différence?

Maintenant essaie de jouer les cinq notes:

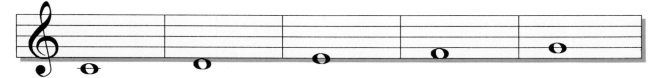

Quand tu te seras familiarisé au jeu de ces cinq notes, passe à l'exercice suivant qui en ajoute trois – le la, le si et le do supérieur. Le nouveau doigté est indiqué sous les notes. Il s'agit d'une gamme. Celle-ci consiste en sept notes suivies de la première note, mais à une octave (ou huit notes) de différence. Remonte la gamme, puis essaie de la redescendre. Ensuite, essaie de l'interpréter de mémoire.

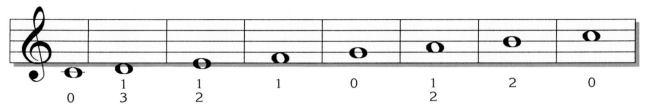

Ne t'inquiète pas s'il te semble difficile de jouer toutes les notes. Joue celles que tu trouves faciles; les autres seront plus aisées lorsque tu seras habitué à ton instrument. Si tu parviens à jouer toutes les notes, essaie l'exercice ci-dessous. Peux-tu nommer toutes les notes de ces portées?

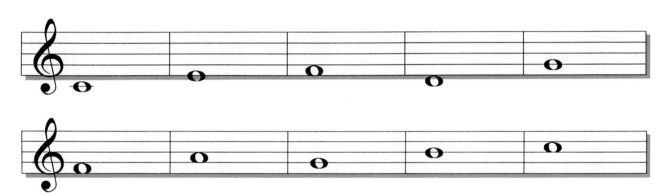

Joseph Haydn

Joseph Haydn est né en 1732 en Autriche. Son talent musical se déclara rapidement et il fut admis en tant qu'enfant de chœur à la Cathédrale St-Étienne de Vienne. En 1761, il fut engagé près de Vienne par un noble fortuné, le prince Esterhazy. Ce poste lui permit de composer de nombreuses symphonies, quatuors à corde et concertos instrumentaux. Un concerto est une partition pour un instrument solo accompagné d'un orchestre. Le dernier concerto de Haydn fut composé en 1796 pour la trompette. C'est le plus beau morceau jamais composé pour cet instrument.

Le rythme

Si tu écoutes ta montre ou une pendule, tu constateras qu'elle fait un tic-tac très régulier. Il en va de même pour la plupart des morceaux que nous jouons; même si les mesures restent identiques, le rythme ou le dessin mélodique change constamment.

Les notes longues et brèves

La notation représente les notes plus longues et plus brèves par des symboles différents. La note la plus longue présentée ici est une ronde; la plus courte est une croche. En termes de temps, chacune des notes présentées ici vaut le double de la suivante. Essaie de compter ou de battre la mesure de chaque ligne: compte 4 pour une ronde et 2 pour une blanche. Les exercices ci-dessous reprennent les notes

Une ronde

=

deux blanches

=

quatre noires

=

huit croches

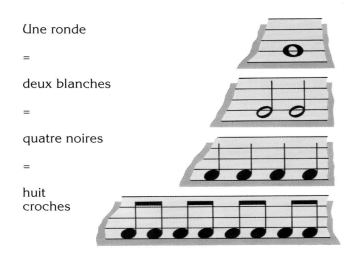

apprises, avec un rythme nouveau ou une longueur de note différente. Compte ou bats la mesure avant de les interpréter sur la trompette.

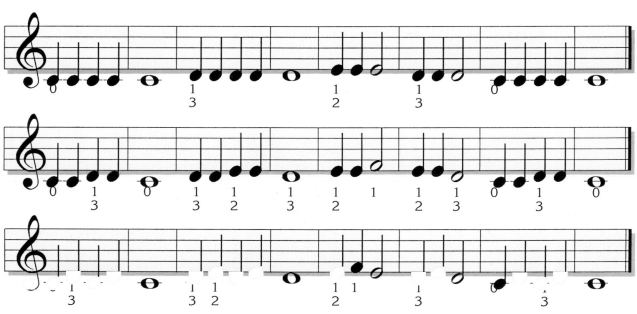

Les pauses

Comme tu l'auras peut-être découvert, il est fatigant de jouer de la trompette! Pourtant, il est possible de reprendre son souffle, car tout morceau comprend de nombreux silences ou pauses. Le symbole de pause correspondant à la durée des différentes notes rencontrées est présenté à droite. Les pauses sont très utiles pour reprendre son souffle. Essaie les exercices ci-dessous, qui incluent certains de ces nouveaux symboles.

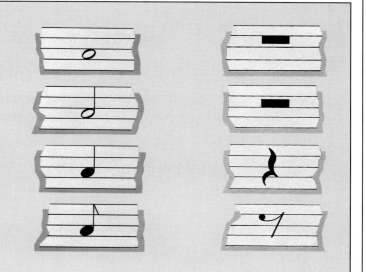

La trompette classique

La trompette que nous connaissons actuellement prit forme avec l'invention du piston, au début du 19e siècle. Ainsi, la trompette pouvait interpréter plus de notes et n'était donc plus limitée à quelques notes.

Des compositeurs tels que Berlioz, Wagner, Ravel et Mahler se lancèrent dans la composition d'une musique pour trompette plus complexe.

Le développement de la musique entraîna celui de la famille des trompettes, et des instruments de longueur, de taille et même de nombre de pistons différents furent inventés.

Le coup de langue

La langue joue un rôle très important dans le jeu de la trompette. Non seulement elle permet d'entonner chaque note, mais en outre, elle permet d'en régler la tonalité. C'est elle qui détermine si une note sera haute ou basse. Ta langue remonte de façon naturelle lorsque tu interprètes des notes plus hautes sur ta trompette.

L'émission des notes
Les deux manières les plus courantes de produire une note consistent à: positionner le bout de la langue derrière les dents supérieures pour prononcer «ta», comme à droite, ou de placer le bout de langue derrière les dents inférieures pour prononcer «da», grâce à la partie centrale de la langue. Bouge rapidement la langue pour «attaquer» la note nettement et franchement.

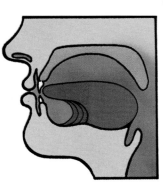

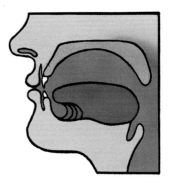

La tonalité et le coup de langue
La position de la langue détermine la tonalité de la note. Lorsque tu dis «AH» à voix haute, ta langue est basse (à gauche). C'est la position qu'adoptera ta langue lorsque tu joueras le do moyen. Lorsque tu dis «lii», ta langue remonte (à droite). C'est la position du do supérieur.

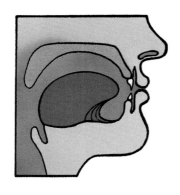

Fraction du temps
Au début de chaque partition, il y a deux chiffres superposés. C'est la fraction du temps: le chiffre supérieur indique le nombre de mesures par barre. Le chiffre inférieur indique la longueur de chaque mesure.

Trois des fractions les plus courantes apparaissent ci-dessus. La fraction 2/4 compte deux noires par barre, ou d'autres notes d'une durée totale équivalente. La fraction 3/4 compte trois noires et

s'utilise principalement pour les valses, mais aussi pour d'autres compositions. La fraction 4/4 compte quatre noires par barre; on parle parfois de la mesure à quatre temps.

L'entraînement rythmique

Ces exercices utilisent des fractions différentes. En les interprétant, pense au tic-tac de ta montre et essaie de jouer les notes dans leur longueur correcte. Avant de jouer, tâche de battre la mesure dans les mains!

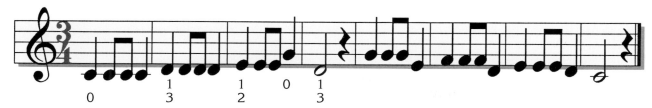

Les tongue-twisters

Il peut être très amusant de jouer rapidement une succession de notes.
Un jeu rapide s'obtient par un double ou un triple coup de langue. Si tu prononces «taka» rapidement plusieurs fois, tu produiras une série de sons ou de notes très rapides. Il s'agit du double coup de langue. Si tu dis «takata» rapidement à plusieurs reprises, tu obtiens le même effet, mais par groupe de trois notes. Il s'agit du triple coup de langue. Le trompettiste Wynton Marsalis (à gauche) recourt aux deux méthodes de coup de langue.

15

La respiration

Un des aspects les plus importants du jeu de trompette est la respiration. Cela peut paraître bizarre, car nous respirons tout le temps. Mais tout comme un moteur fournit la puissance à une voiture, ta respiration apporte la force à ton jeu de trompette.

Mets la main devant la bouche et tousse. Tu remarqueras que l'air est expulsé rapidement. Place ton autre main sur ton estomac. Tu auras l'impression que ton estomac est poussé vers le haut. Maintenant, imagine que tu souffles toutes les bougies d'un gâteau d'anniversaire. Prends bien ton souffle et expulse l'air aussi rapidement que possible. Veille à ressentir le mouvement ascendant de ton estomac. Exerce-toi jusqu'à ce que tu te sois habitué au volume d'air inspiré et expulsé. À titre d'exercice supplémentaire, gonfle un ballon. Maintenant, mets-toi face à une horloge. Joue les notes ci-dessous en les maintenant aussi longtemps que possible. Inspire profondément et essaie de soutenir le son. Peux-tu améliorer le son obtenu?

Les mauvaises habitudes

Maintenant que tu te familiarises avec ta trompette, il est essentiel d'éviter les mauvaises habitudes. Assieds-toi et tiens-toi correctement; les épaules et le dos doivent être droits (voir page 7). Tiens la trompette correctement (page 6). N'utilise que le bout des doigts de la main droite pour enfoncer les pistons. Veille à centrer ton embouchure par rapport à ta bouche (page 8). Entonne toujours les notes nettement et franchement (page 14).

Jouer en public

Lorsque tu donneras ton premier concert en public, n'oublie pas d'inspirer profondément, même avant de jouer. Concentre-toi sur la musique et ne t'énerve pas si tu commets une erreur – l'erreur est humaine!

Thomas Harper (Père et fils)

Au 19e siècle, les deux principaux instrumentistes de la trompette naturelle en Grande-Bretagne furent les deux Thomas Harper. Thomas Harper (père) était sollicité de toutes parts dès 1806 et se produisit dans tous les grands concerts et festivals de Londres. Thomas Harper (fils), à droite, succéda à son père et devint également une célébrité. Les deux musiciens jouèrent sur une version de la trompette naturelle appelée trompette à «coulisse».

Les dièses et les bémols

Les huit notes de la gamme de la page 11 sont des notes naturelles, les touches blanches du piano. Cette gamme est en do majeur, car elle commence au do. Les gammes qui débutent sur d'autres notes ont recours à des dièses et des bémols, les notes noires du piano.

Le symbole du dièse est représenté à gauche. Un dièse augmente d'un demi-ton la tonalité d'une note. Un bémol, représenté en bas à gauche, abaisse d'un demi-ton la tonalité d'une note. Parfois, des dièses ou des bémols sont indiqués dans «l'armature de la clé» près de la clé de sol. Ils indiquent le ton de base du morceau.

Si aucun dièse ou bémol n'est mentionné dans l'armature de la clé, le ton est en do majeur.

Dans la deuxième portée ci-dessous, le ton est en sol majeur et comprend un fa# dans l'armature de la clé.

À chaque ton majeur correspond un ton mineur. Le premier exercice ci-dessous est en fa majeur;

le second est en ré mineur. Tous deux incluent un sib dans l'armature de la clé.

L'armature de la clé

Les dièses et les bémols dans l'armature de la clé n'apparaissent pas dans la partition même. Les gammes du ré majeur et du si mineur comprennent un fa# et un do# au niveau de l'armature de la clé.

Les gammes du si♭ majeur et du sol mineur comprennent un si♭ et un mi♭ dans l'armature de la clé. Souviens-toi de bémoliser ces notes pendant ton jeu.

Entraîne-toi avec les exercices ci-dessous, en vérifiant l'armature de la clé. Contrôle si le ton est majeur ou mineur.

Majeur et mineur

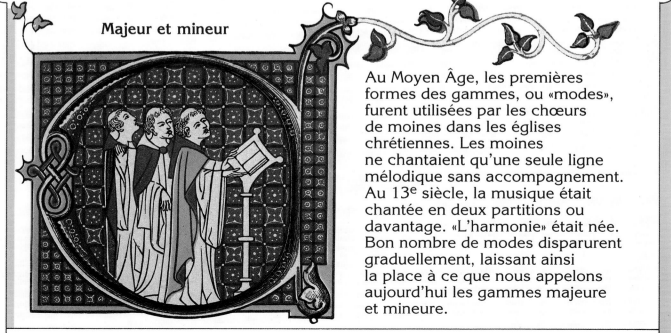

Au Moyen Âge, les premières formes des gammes, ou «modes», furent utilisées par les chœurs de moines dans les églises chrétiennes. Les moines ne chantaient qu'une seule ligne mélodique sans accompagnement. Au 13e siècle, la musique était chantée en deux partitions ou davantage. «L'harmonie» était née. Bon nombre de modes disparurent graduellement, laissant ainsi la place à ce que nous appelons aujourd'hui les gammes majeure et mineure.

La technique du doigté

Quoique la trompette ne comporte que trois pistons, de nombreuses combinaisons sont possibles. Certaines sont très faciles à jouer. D'autres sont un peu plus compliquées et requièrent un long apprentissage. Déplace tes doigts rapidement et de façon uniforme pour former une nouvelle combinaison de pistons. Veille à ne pas jouer une note tandis que le piston n'est qu'à mi-chemin!

Les muscles de la main
Tiens la trompette de la main droite, comme ci-dessous et enfonce alternativement les premier et deuxième pistons. Ce changement de doigté te semblera très facile. Si tu essaies de passer du deuxième au troisième piston, tu verras que les choses se corsent. C'est parce que ton troisième doigt travaille rarement seul et est bien plus faible que les autres.

L'exercice ci-dessous t'aidera à t'entraîner à ces changements de doigté difficiles. Remarque que la musique est en 3/4 temps et inclut donc trois noires par barre. Les deux dièses dans l'armature de la clé indiquent que le ton est en ré majeur ou en si mineur. Interprète le morceau et essaie de déterminer le ton.

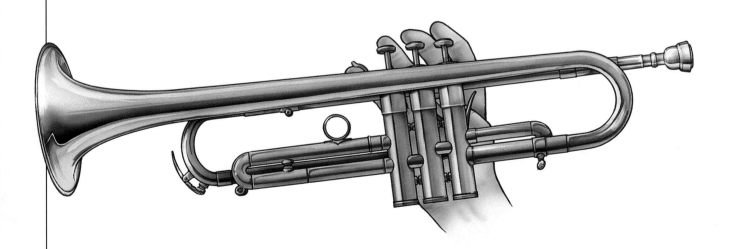

À faire et à ne pas faire
Ta main droite doit rester aussi souple que possible. Presse les pistons du bout des doigts. Ne recours jamais à la région sous l'articulation de tes doigts. Enfonce toujours les pistons de façon uniforme. Les combinaisons de pistons doivent être synchronisées. Veille à ce que les pistons soient enfoncés avant de souffler la note.

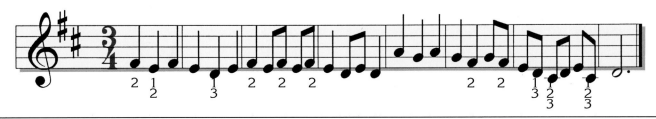

Les première et troisième coulisses

Certaines trompettes disposent de coulisses mobiles au niveau des premier et troisième pistons. Certaines notes pouvant être désaccordées lors du jeu, l'utilisation de ces deux coulisses permet de modifier la tonalité de ces pistons lors de leur enfoncement.

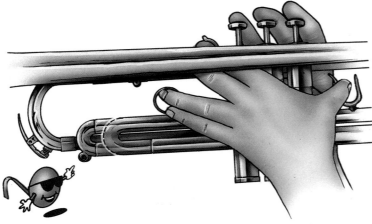

L'illustration à droite présente la première coulisse actionnée à l'aide du pouce gauche. L'illustration de gauche présente la troisième coulisse, actionnée par le quatrième doigt gauche. Exécute les exercices sans recourir aux coulisses. Ensuite, rejoue-les en sortant quelque peu les deux coulisses – entends-tu la différence?

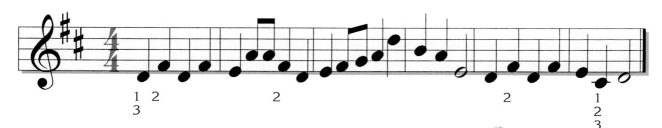

La trompette de jazz

Depuis le début du 20e siècle, la trompette joue un rôle primordial dans l'évolution du jazz. Il y a des musiciens de jazz renommés tels que Bix Beiderbecke, un cornettiste qui devint célèbre dans les années 1920. Dizzy Gillespie, à droite, participa au développement du style jazzique des années 1940, le «be-bop». Dans les années 1950, le trompettiste Miles Davis promut un type de jazz plus calme ou «cool» et influença un autre trompettiste éminent, Chet Baker.

La pratique

Il est essentiel de s'entraîner régulièrement à la trompette. Tu ne dois pas lui consacrer de nombreuses heures - mieux vaut lui consacrer peu de temps, mais quotidiennement. Comme les trompettistes utilisent une partie très sensible du corps, la bouche, il importe «de s'échauffer» convenablement.

Un entraînement régulier

Ton entraînement journalier devrait comporter une partie d'échauffement, constituée de quelques gammes, d'une partition établie par ton professeur ou de tout autre morceau musical que tu aimes jouer. Les notes longues constituent un bon exercice et permettent d'améliorer le son obtenu ainsi que ta résistance.

Inspire profondément et essaie de maintenir la note pendant 16 secondes. Si tu y parviens facilement, essaie de tenir 20, 30 voire même 40 secondes!

le plus bruyant

doux   doux

| 2 | 4 | 6 | 8 | 10 | 12 | 14 | 16 |

compte lentement jusqu'à 16

Tes notes longues devraient ressembler à ceci: douces au départ, devenant de plus en plus bruyantes pour s'adoucir à nouveau. L'exercice ci-dessous augmente et redescend également en volume, au gré des symboles en épingle à cheveux.

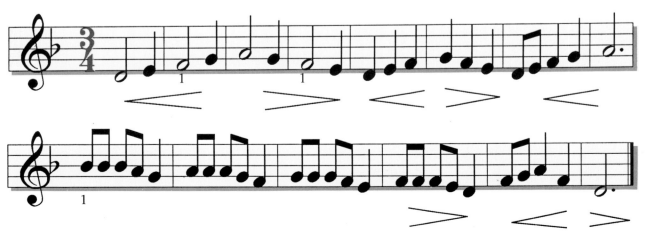

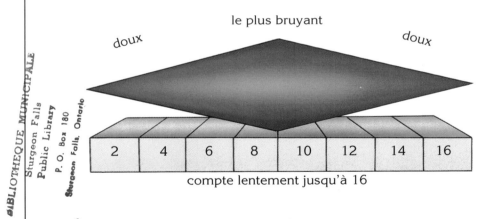

Joue une mélodie

Plus tu t'entraîneras, moins vite tu te fatigueras à jouer. Quand tu te seras amélioré, choisis des mélodies ou morceaux plus longs. Essaie l'exemple ci-dessous, en 3/4 temps.

La berceuse de Brahms

La facture d'une trompette

Traditionnellement, toutes les trompettes étaient fabriquées par des artisans, qui façonnaient le pavillon en acier à la main à l'aide d'un mandrin. Les pistons devaient être découpés à la bonne longueur, puis taraudés et troués soigneusement. Les tubages nécessaires à la fixation du pavillon et des pistons étaient chauffés, pliés et martelés jusqu'à ce qu'ils aient la forme voulue. Actuellement, ce procédé de fabrication se fait généralement mécaniquement, quoiqu'il y ait encore des artisans, comme Martin Lechner, à droite, appliquant les méthodes traditionnelles.

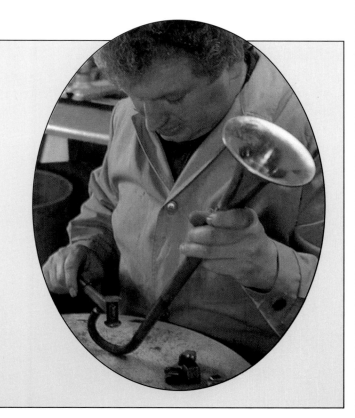

Le jeu en groupe

Jusqu'à présent, tous les morceaux que tu as joués ne s'appliquaient qu'à une seule trompette. Pourtant, il est bien plus gai de jouer en groupe. Une partition pour deux instrumentistes est un duo. Si tu as un ami qui apprend également à jouer de la trompette (ou du cornet à pistons ou encore de la clarinette), essaie l'exercice suivant. Veille à ce que les deux instruments partagent la même tonalité.

Le duo

Lorsque tu joues en duo, tu dois écouter le son que tu émets ainsi que celui de ton partenaire.

Veille à ce que vous jouiez les notes simultanément et que vous soyez en parfait accord.

Installe le pupitre entre les deux instrumentistes.

Compte ton entrée en jeu. Veillez à commencer et à terminer en même temps.

Le canon

Un «ensemble» est composé de
quatre instrumentistes ou plus.
L'exercice ci-dessous est constitué
d'un canon et peut être interprété
par six personnes au maximum.
Les musiciens interviennent
les uns après les autres.
Chaque instrumentiste commence
à jouer deux barres de mesure
après l'instrumentiste précédent.
Le grand C indique qu'il s'agit
d'une mesure à 4 temps.

Les sourdines

Une sourdine est un dispositif placé
dans ou autour du pavillon de la
trompette afin d'étouffer ou de
modifier le son. Trois des sourdines
les plus courantes sont la sourdine
«sèche», la sourdine «bol»
et la sourdine «ouah-ouah».
Les sourdines «Glenn Miller»
et «velvet» s'utilisent parfois en jazz
car elles modifient le son.

Sourdine velvet Sourdine bol Sourdine sèche Sourdine Glenn Miller

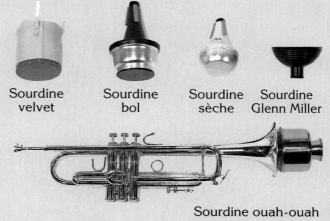

Sourdine ouah-ouah

Le monde de la trompette

La trompette est un instrument universel, qui s'adapte à divers types de musique. Elle s'utilise en jazz, un type musical qui naquit au début du 20e siècle à la Nouvelle-Orléans. On la retrouve également dans les orchestres de danses et militaires, car le son qu'elle produit se démarque amplement de l'orchestre. Son parent, le cornet à pistons, est l'élément de base de toute fanfare.

Les jazz-bands
Les influences française, espagnole, britannique, italienne, allemande et slave se mélangèrent aux premiers jours du jazz. Dans un orchestre jazzique ou jazz-band, le cornet à pistons ou la trompette, la clarinette et le trombone peuvent tous interpréter la mélodie et être accompagnés d'autres instruments à cordes ou de cuivres.

Les «big bands»
Un aspect du développement important de l'ère du «swing» dans les années 1930 fut l'émergence de «big bands».
Ils étaient constitués de larges sections de trompettes, trombones et de saxophones et s'accompagnaient d'un piano et de batteries qui renforçaient la musique et le rythme. C'est grâce aux big bands que le jazz devint populaire.

L'orchestre

La section des cuivres de l'orchestre comprend de deux à cinq trompettes. C'est le compositeur qui en détermine le nombre. Au 18e siècle, Mozart et Haydn ne composèrent que pour deux trompettes. Aux 19e et 20e siècles, Mahler et Stravinski composèrent pour cinq ou six trompettes.

La trompette de fanfare

Les trompettes de fanfare s'utilisent lors de cérémonies. Leur son brillant et exaltant résulte de leur forme élongée. Le drapeau ou l'emblème attaché au pavillon n'a qu'un effet visuel et ne modifie en rien le son obtenu.

L'orchestre militaire

Les cuivres au sein de l'orchestre militaire comprennent des trompettes, des cornets à pistons, des cors d'harmonie, des basses de saxhorns, des trombones et des tubas.

L'orchestre compte également une section de bois, incluant des hautbois, flûtes, clarinettes, bassons et saxophones.

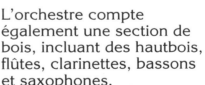

Le cornet à pistons et la fanfare

L'invention du cornet à pistons succéda à celle du piston. Cet instrument devint apprécié des instrumentistes. Il joue un rôle essentiel dans la fanfare. Cette dernière vit le jour au 19e siècle en Angleterre; elle devait divertir les mineurs. La fanfare se compose d'environ 25 musiciens, jouant du cornet à pistons, du bugle, du saxhorn ténor, du petit tuba et de la basse.

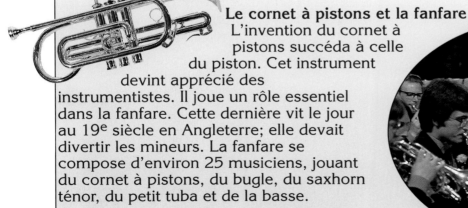

La trompette et les cuivres

Ta trompette appartient à une vaste famille de trompettes désignées suivant la note correspondante du piano. Ton instrument est probablement une trompette en si♭; il existe également une trompette en ut, une trompette en ré, etc. Plus les sons de la trompette sont hauts, plus l'instrument est petit.

Fais le test suivant à l'aide d'un piano. Joue la première note à vide de la gamme de la page 11, le do moyen, sur ta trompette. Puis joue le si♭ au piano ou demande à quelqu'un de le jouer à la trompette. Les notes devraient émettre le même son sur les deux instruments. Ton do correspond au si♭ du piano, ta trompette est en si♭. Une trompette en mi♭ jouant la même note à vide produira le même son que le mi♭ du piano.

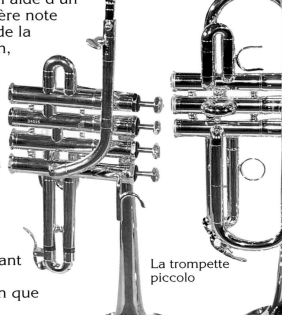

La trompette piccolo

La trompette en mi♭

La trompett en ut

La trompette à cylindres

La trompette la plus courante en France et en Belgique est la trompette à pistons. Son nom provient du type de pistons utilisés pour produire une plus large gamme de notes. En Allemagne et en Autriche, les trompettes à cylindres sont plus courantes.
Les cylindres ressemblent aux pistons des cors d'harmonie. Quoiqu'elles semblent différentes des trompettes à pistons, les trompettes à cylindres s'utilisent exactement de la même manière.

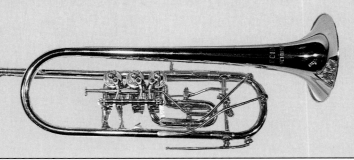

Les cuivres

Le **petit tuba** (à droite) a un son profond, lyrique et chaleureux.
Le **trombone** (ci-dessous) est le seul instrument moderne des cuivres utilisant une coulisse pour produire une gamme complète de notes.

Le **sousaphone** fut inventé par John Philip Sousa pour des fanfares de route. Le **tuba** (ci-dessous) est un autre membre important des cuivres. Il fut inventé il y a 150 ans, pour des orchestres militaires russes.

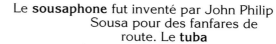

Le **cor d'harmonie** descend du cor de chasse. Il mesurerait 5 mètres de long s'il était déroulé. Le musicien positionne une main dans le pavillon pour modifier le son.

Le **saxhorn** ténor est principalement utilisé dans les fanfares, car le son chaleureux et tendre qu'il émet apporte de la variété. En général, les fanfares comportent trois ou quatre saxhorns ténors.

Louis Armstrong
Louis Armstrong est une des personnalités qui a le plus influencé le jazz. Il a appris à jouer dans une maison de correction (il avait été interpellé pour avoir tiré sur des Blancs dans la rue). Bientôt, on l'engagea comme cornettiste et finalement, il constitua son propre orchestre. Son empreinte sur de multiples musiciens est largement reconnue.

Compositeurs et interprètes

La trompette naturelle existe depuis de nombreux siècles. Mais ce n'est qu'au 17ᵉ siècle que des compositeurs s'intéressèrent à cet instrument lyrique. Au cours des trois derniers siècles, le répertoire musical de l'instrument s'est élargi. Consécutivement à l'invention du piston, la notation pour trompette s'est diversifiée.

J.S. Bach

Giuseppe Torelli (1658-1709) fut un des premiers compositeurs à avoir développé ce style de composition. Il composa des concertos, symphonies et sonates pour trompette. **Antonio Vivaldi** (1676-1741) composa 400 concertos pour divers instruments. Un concerto important

Georg Philipp Telemann (1681-1767) vécut en Allemagne. Parmi ses compositions, on compte divers concertos et suites pour trompette. Les deux compositeurs qui perfectionnèrent l'art de la notation pour trompette ténor furent **Jean-Sébastien Bach** (1685-1750) et **Georg Friedrich Haendel** (1685-1759). Souvent, leurs cantates, oratorios, opéras et autres œuvres orchestrales incluaient deux ou trois trompettes. Ces compositions font actuellement encore partie des plus belles partitions pour cet instrument.

Bix Beiderbecke

Avant l'apparition du piston au 19ᵉ siècle, les compositeurs étaient limités dans le choix des notes pour l'interprétation musicale de la trompette, particulièrement lorsque le registre de l'instrument était bas. On avait constaté toutefois qu'en passant à un registre supérieur, il était possible de jouer plus de notes sur la trompette. Des compositeurs de l'époque baroque (17ᵉ – début du 18ᵉ siècles) en usèrent à bon escient et le son de la trompette grave est un aspect important de cette période musicale.

R. Wagner

pour trompettistes est son concerto pour deux trompettes qui constitue actuellement une des œuvres les plus importantes du répertoire de cet instrument. Tandis que ces deux compositeurs vécurent en Italie,

Gustav Mahler

Vers la fin du 18ᵉ siècle et au début du 19ᵉ siècle, des fabricants expérimentèrent les pistons et les différents types de trompette. Deux magnifiques concertos pour «la trompette à clés» en résultèrent. Le premier fut composé par **Joseph Haydn** (1732-1809), le second par **Johan Nepomuk Hummel** (1778-1837). Au 19ᵉ siècle, des compositeurs tels que **Hector Belioz** (1803-69), **Richard Wagner** (1813-1883), **Gustav Mahler** (1860-1911) et **Maurice Ravel** (1875-1937) composèrent une musique magnifique pour trompette.

Chet Baker

Au début du 20e siècle, la trompette à pistons s'était fermement imposée tant auprès de compositeurs qu'auprès d'instrumentistes. Des compositeurs tels que **Bohuslav Martinu** (1890-1959), **Jacques Ibert** (1890-1962) et **Paul Hindemith** (1895-1963) composèrent des morceaux pour trompette et pour piano. Des compositeurs contemporains, comme **Harrison Birtwistle** (né en 1934) et **Peter Maxwell-Davies**, ont également composé des concertos pour trompette avec accompagnement orchestral.

Instrumentistes
Les trois derniers siècles ont connu de nombreux *virtuoses* de cet instrument. Des trompettistes tels que **Johann Ernst Altenburg**, qui composa également, ainsi qu'**Anton Weidinger**, un trompettiste viennois qui donna les quelques premières interprétations du concerto pour

trompette de Haydn, vécurent au 18e siècle.

En Angleterre, au 19e siècle, **Thomas Harper**, père et fils, étaient les deux instrumentistes les plus populaires, particulièrement en ce qui concerne la trompette à coulisse anglaise. En France, **Jean-Baptiste Arban** et aux États-Unis, **Herbert Clarke** devinrent réputés en tant qu'éminents trompettistes. Parmi les instrumentistes exceptionnels du 20e siècle, citons **Bix Beiderbecke**, **Maurice André**, **Adolphe Herseth**, **Hakan Hardenberger**, **Miles Davis** et **John Faddis**. Parmi les

Hugh Masekela

trompettistes jazziques, citons **Louis Armstrong**, **Chet Baker** et plus récemment **Hugh Masekela**.

Glossaire

bémol abaisse une note d'un demi-ton

clé indique la tonalité au niveau de la notation

coulisse un dispositif qui permet à la colonne d'air contenue dans la trompette de passer directement dans le piston ou qui, lorsque ce dernier est enfoncé, dévie l'air vers le tube appelé coulisse

cylindre un dispositif qui permet à la colonne d'air de passer directement dans le piston, mais peut également dévier l'air à 45 degrés lorsqu'il est tourné

dièse élève une note d'un demi-ton

embouchure partie de l'instrument que l'on porte à la bouche; forme des lèvres par rapport à l'embouchure de l'instrument

gamme les notes préétablies à la base de la plupart des compositions musicales

harmonique une série de notes qui peuvent être jouées à partir du (des) même(s) piston(s), ou à vide, c.-à-d. sans utiliser les pistons

note naturelle note qui n'est ni diésée ni bémolisée

octave intervalle entre huit notes naturelles. Les deux notes séparées par une octave portent le même nom.

pause une mesure silencieuse

portée les cinq lignes sur lesquelles sont reportées les notes écrites

sourdine un dispositif qui adoucit ou modifie le son d'un instrument

ton indique si la partition est écrite dans une gamme majeure ou mineure

tonalité indique si une note est haute ou basse

Index

Origine des photographies:

Couverture et dos,
pages 6 (toutes),
7 (toutes), 8 (toutes),
9 (en haut), 10, 16 (les
deux), 17 (en haut), 18,
22, 24, 25 (les deux),
27 (en bas), 28 (les
deux) et 29 (en bas):
Roger Vlitos; pages 9
(en bas) et 19: Mary
Evans Picture Library;
pages 11, 13, 26 (en
bas), 29 (en bas), 30
(en haut à gauche et en
bas): Hulton Deutsch;
pages 15, 26 (en haut)
et 31 (en haut): Frank
Spooner Pictures;
pages 17 (au centre), 21
et 27 (en bas à droite):
Eye Ubiquitous; pages
17 (en bas) et 30 (en
haut à droite et au
centre): Royal College
of Music; page 23:
Lechner; page 27 (en
haut et au centre à
gauche): J. Allan Cash
Photo Library; pages 27
(à droite au centre)
et 31 (en bas):
Topham Picture Source.

PRINTED IN BELGIUM BY
proost
INTERNATIONAL BOOK PRODUCTION